S0-BSY-263

Para Ralph

© Petr Horáček, 2004
Publicado por acuerdo con Walker Books Ltd,
87 Vauxhall Walk, Londres, SE11 5HJ, Reino Unido

Título original: A NEW HOUSE FOR MOUSE

© de la traducción española:
EDITORIAL JUVENTUD, S. A,
Provença, 101 - 08029 Barcelona
info@editorialjuventud.es
www.editorialjuventud.es

Traducción: Élodie Bourgeois Bertín

Primera edición, 2007
ISBN: 978-84-261-3634-3
Núm. de edición de E. J.: 10.991

Printed in China

EJ

editorial juventud
www.editorialjuventud.es

UNA CASA A LA MEDIDA

Petr Horáček

Editorial Juventud

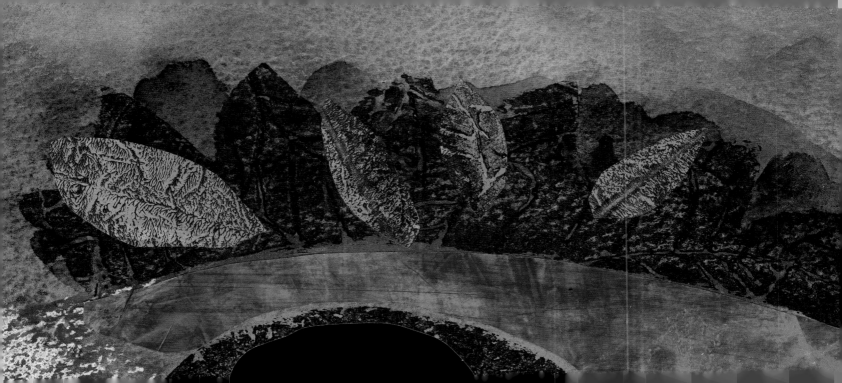

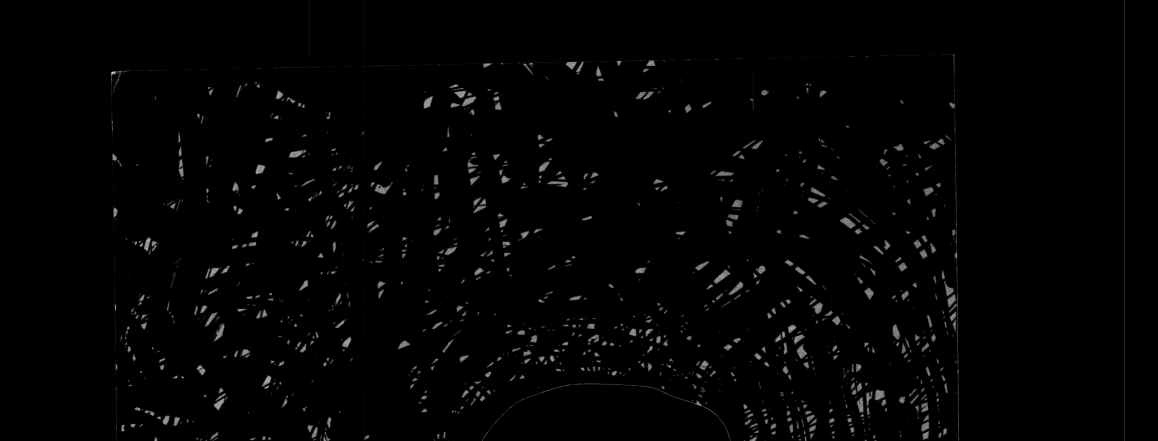

«Buscar una nueva casa
da hambre», dijo el Ratoncito. Y le dio unos cuantos
mordiscos a la manzana. Poco después vio un agujero
un poco más grande que el suyo.
«Éste parece a la medida», dijo. Y miró adentro.

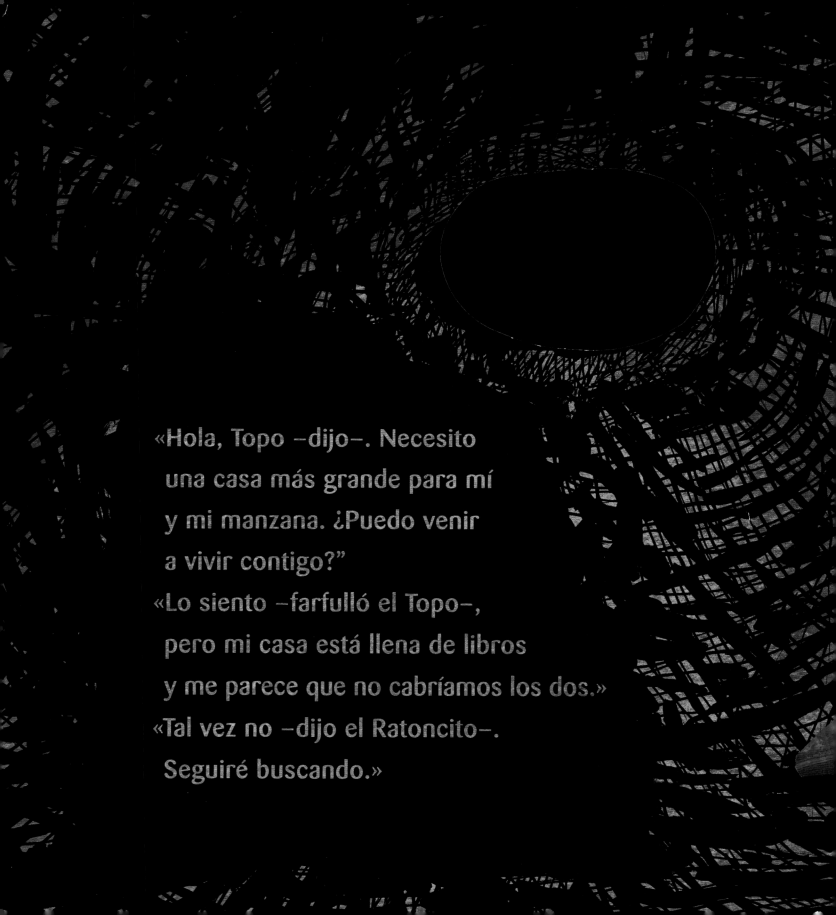

«Hola, Topo –dijo–. Necesito
una casa más grande para mí
y mi manzana. ¿Puedo venir
a vivir contigo?"
«Lo siento –farfulló el Topo–,
pero mi casa está llena de libros
y me parece que no cabríamos los dos.»
«Tal vez no –dijo el Ratoncito–.
Seguiré buscando.»

Por el camino, el Ratoncito volvió a sentir hambre.
«Sólo la roeré un poco», se dijo.
Entonces vio un agujero un poco más grande
que el del Topo. «Aquí sí que cabría», dijo.

Y miró adentro.

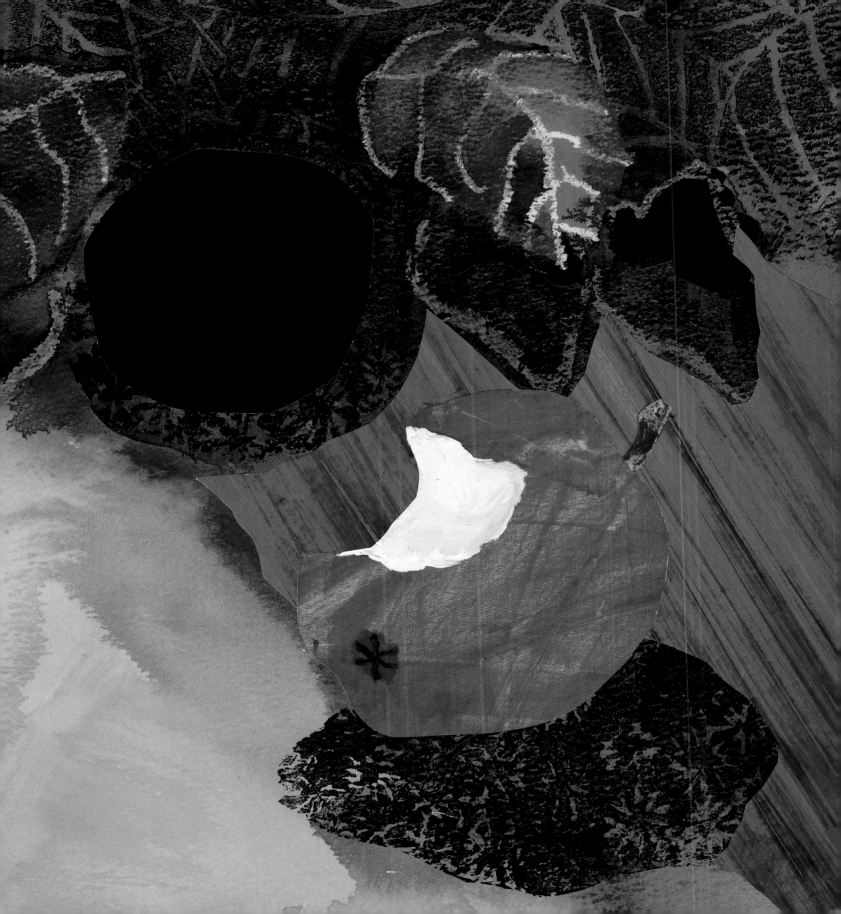

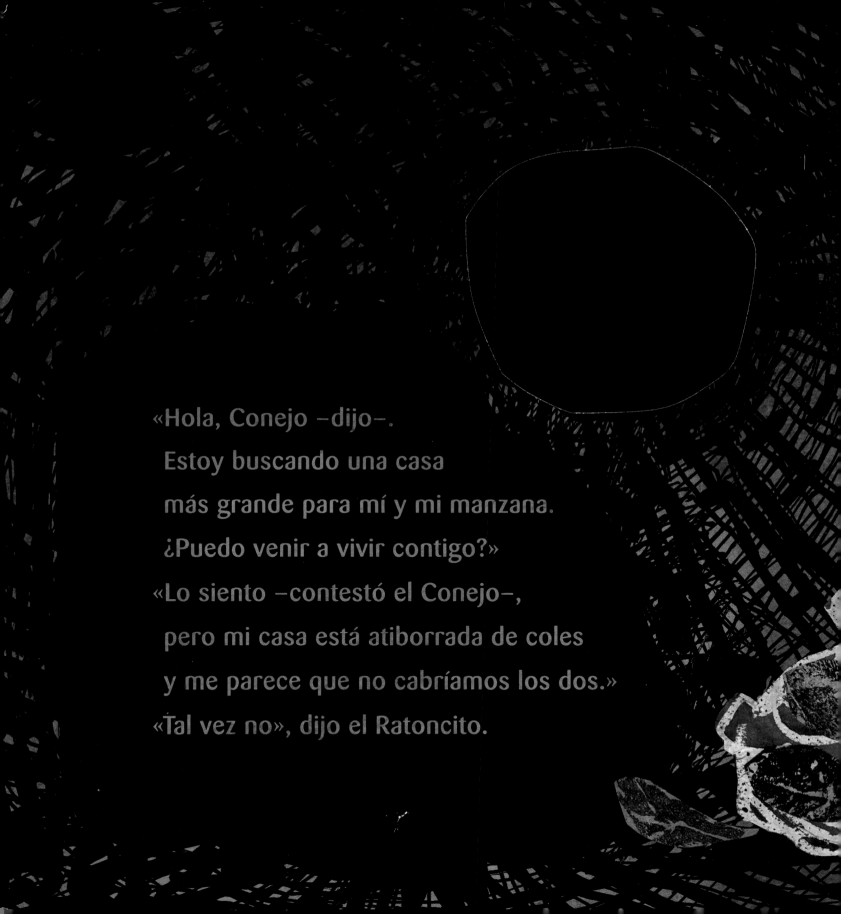

«Hola, Conejo –dijo–.
Estoy buscando una casa
más grande para mí y mi manzana.
¿Puedo venir a vivir contigo?»
«Lo siento –contestó el Conejo–,
pero mi casa está atiborrada de coles
y me parece que no cabríamos los dos.»
«Tal vez no», dijo el Ratoncito.

Siguió buscando, pero aún estaba hambriento
y volvió a darle un buen mordisco a la manzana.
Entonces vio otro agujero un poco más grande
que el del Conejo.
«Éste parece que irá bien», dijo.

Y miró adentro.

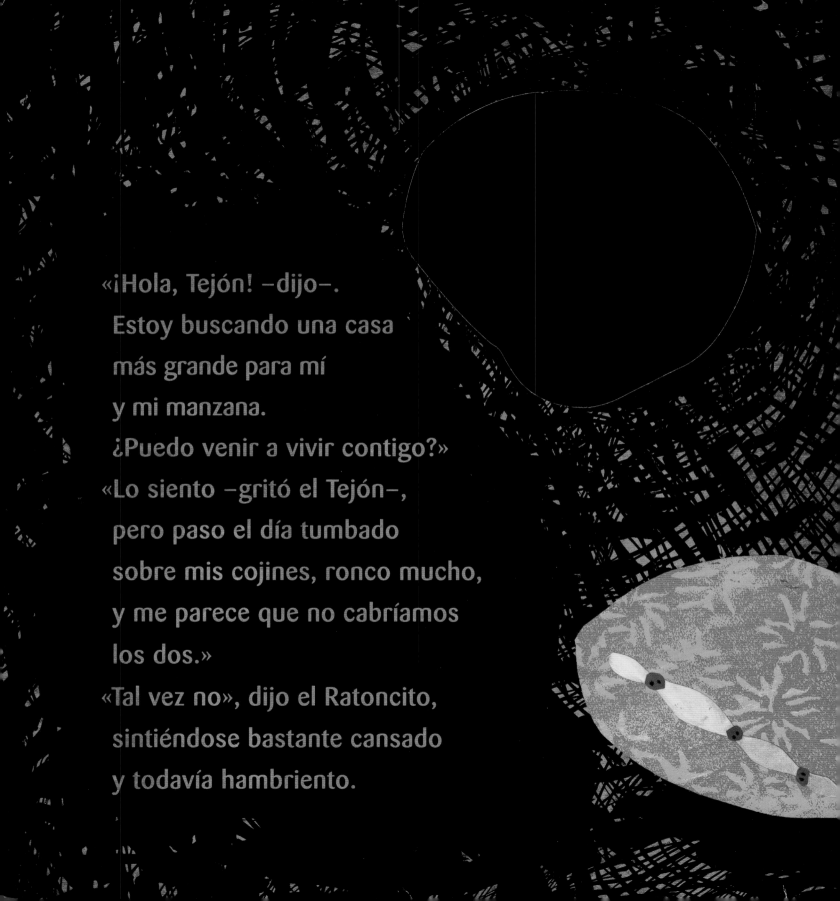

«¡Hola, Tejón! –dijo–.
Estoy buscando una casa
más grande para mí
y mi manzana.
¿Puedo venir a vivir contigo?»
«Lo siento –gritó el Tejón–,
pero paso el día tumbado
sobre mis cojines, ronco mucho,
y me parece que no cabríamos
los dos.»
«Tal vez no», dijo el Ratoncito,
sintiéndose bastante cansado
y todavía hambriento.

Ya se ponía el sol cuando llegó ante un agujero
enorme. «Éste será bastante grande para mí
y mi manzana», pensó.

«¡Hola! ¿Hay alguien aquí?»,
gritó.

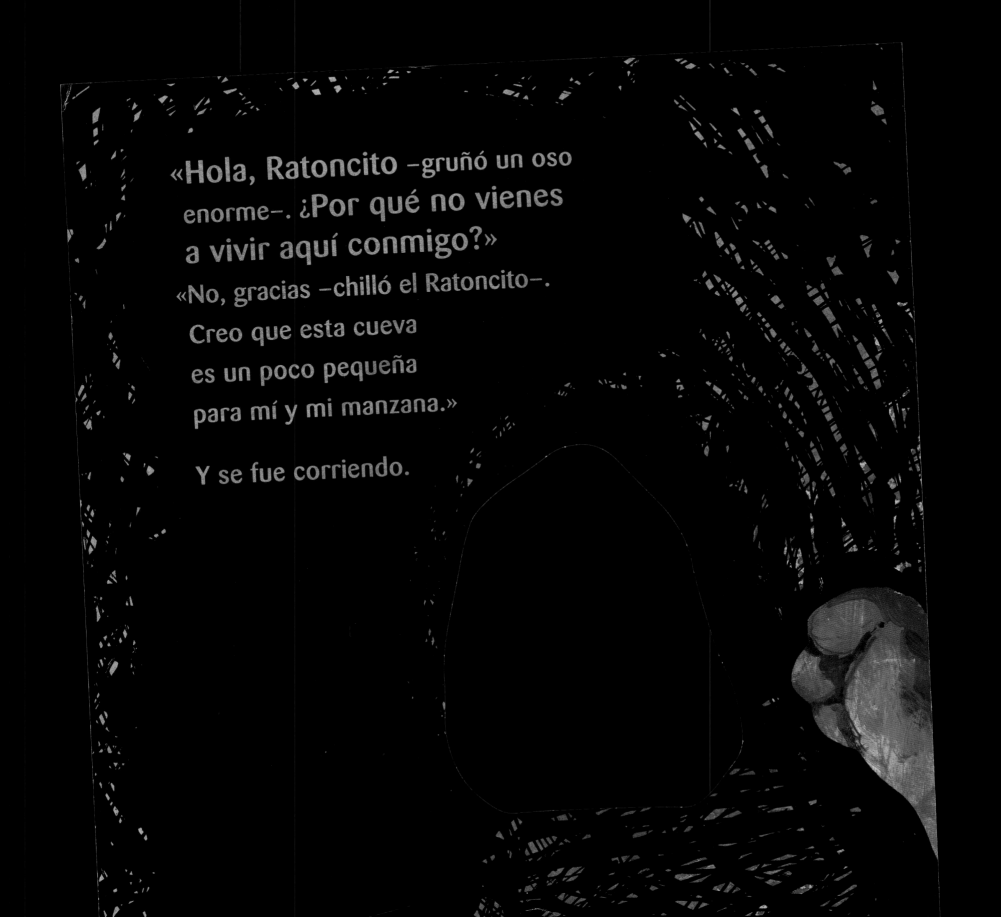

«Hola, Ratoncito –gruñó un oso
enorme–. ¿Por qué no vienes
a vivir aquí conmigo?»
«No, gracias –chilló el Ratoncito–.
Creo que esta cueva
es un poco pequeña
para mí y mi manzana.»

Y se fue corriendo.

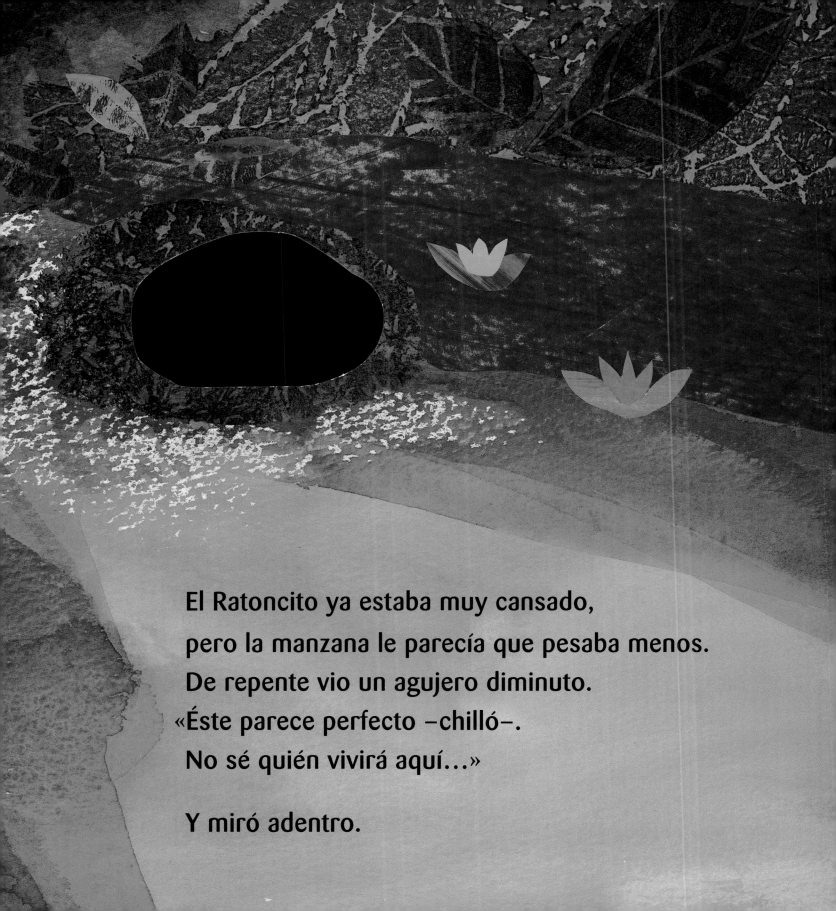

El Ratoncito ya estaba muy cansado,
pero la manzana le parecía que pesaba menos.
De repente vio un agujero diminuto.
«Éste parece perfecto –chilló–.
No sé quién vivirá aquí...»

Y miró adentro.

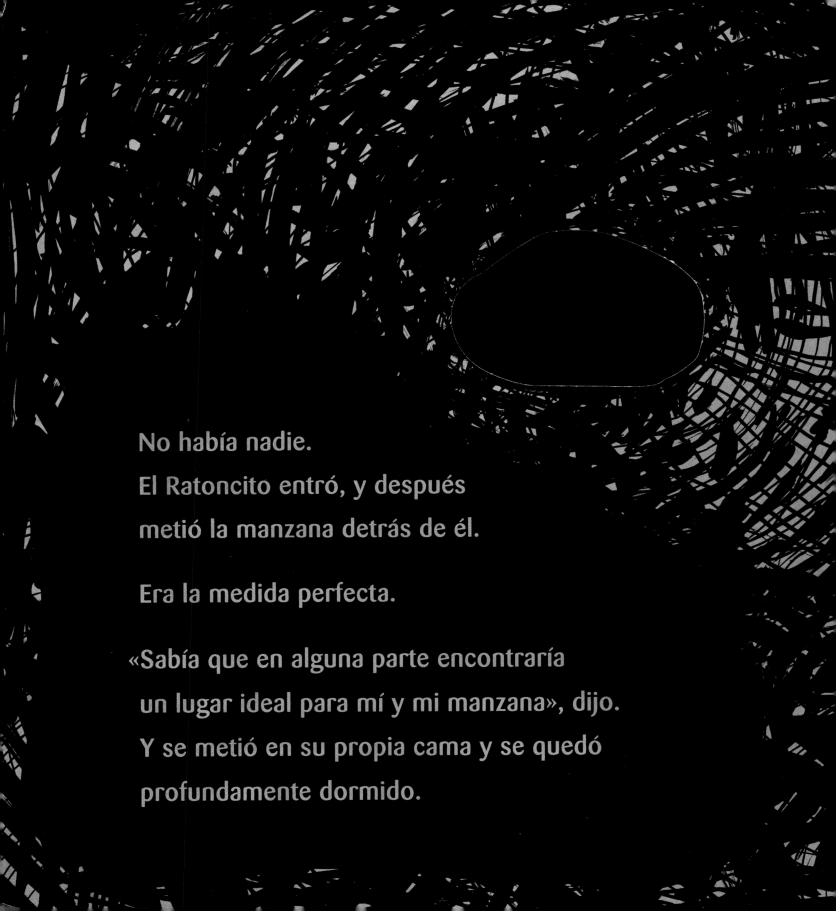

No había nadie.

El Ratoncito entró, y después
metió la manzana detrás de él.

Era la medida perfecta.

«Sabía que en alguna parte encontraría
un lugar ideal para mí y mi manzana», dijo.
Y se metió en su propia cama y se quedó
profundamente dormido.

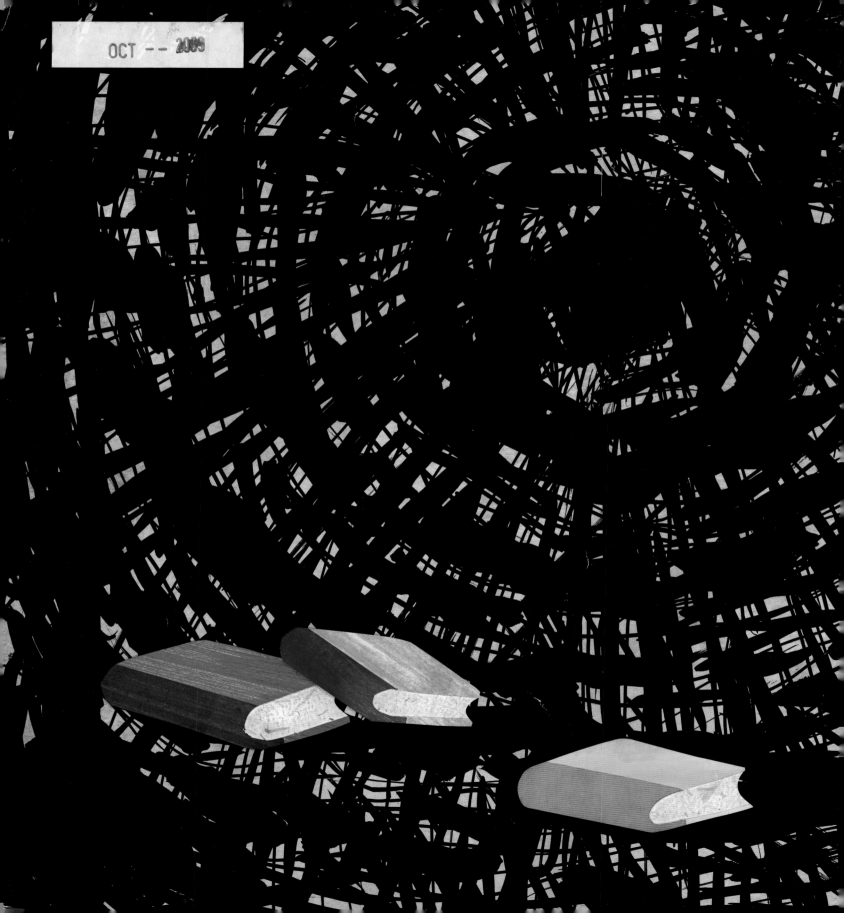